当当网终身五星级童书

我爱小黑猫

[法] 克利斯提昂·约里波瓦 / 文　　　[法] 克利斯提昂·艾利施 / 图

郑迪蔚 / 译

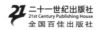

二十一世纪出版社
21st Century Publishing House
全国百佳出版社

克利斯提昂·约里波瓦(Christian Jolibois)今年有352岁啦,他的妈妈是爱尔兰仙女,这可是个秘密哦。他可以不知疲倦地编出一串接一串异想天开的故事来。为了专心致志地写故事,他暂时把自己的"泰诺号"三桅船停靠在了勃艮第的一个小村庄旁边。并且,他还常常和猪、大树、玫瑰花和鸡在一块儿聊天。

克利斯提昂·艾利施(Christian Heinrich)像一只勤奋的小鸟,是个喜欢到处涂涂抹抹的水彩画家。他有一大把看起来很酷的秃头画笔,还带着自己小小的素描本去过许多没人知道的地方。他如今在斯特拉斯堡工作,整天幻想着去海边和鸬鹚聊天。

获奖记录:
2001年法国瑟堡青少年图书大奖
2003年法国高柯儿童文学大奖
2003年法国乡村儿童文学大奖
2006年法国阿弗尔儿童文学评审团奖

版权合同登记号 14-2006-023
Chinese simplified translation rights arranged with Univers Poche through Middle Kingdom Media.
本书中文版权通过法国文化出版传媒有限公司帮助获得。

图书在版编目(CIP)数据

我爱小黑猫 / (法)约里波瓦著;
(法)艾利施绘;郑迪蔚译.
-南昌:二十一世纪出版社,2006.8(2012.11重印)
(不一样的卡梅拉)
ISBN 978-7-5391-3513-7

Ⅰ.我... Ⅱ.①约...②艾...③郑...
Ⅲ.图画故事-法国-现代 Ⅳ.I565.85

中国版本图书馆 CIP 数据核字(2006)第 100208 号

我爱小黑猫

作 者	(法)克利斯提昂·约里波瓦 / 文
	(法)克利斯提昂·艾利施 / 图
译 者	郑迪蔚
责任编辑	熊 炽 张海虹
出版发行	二十一世纪出版社
	www.21cccc.com cc21@163.net
出 版 人	张秋林
印 刷	北京尚唐印刷包装有限公司
版 次	2006年9月第1版 2012年11月第39次印刷
开 本	600mm×940mm 1/32
印 张	1.5
书 号	ISBN 978-7-5391-3513-7
定 价	6.80 元

本社地址:江西省南昌市子安路75号 330009 (如发现印装质量问题,请寄本社图书发行公司调换 0791-6524997)

安睡吧！我的小公主马爱兰！

——克利斯提昂·约里波瓦

小朱丽叶从仙女那儿，来到了我们身边。

——克利斯提昂·艾利施

又是钓鱼的日子啦。小河边,到处是天真活泼的小鸡,他们用自己想到的各种方法来钓鱼,管它能不能钓到呢,只要好玩就行。

"来呀,这里有只青蛙! 快追! "

"哎哟,我的棍子掉进河里啦! "

"居高临下,才能钓到大鱼呢! 哈哈! "

可是,半天过去了,他们连一条小鱼干儿也没钓着。

"唉,鱼根本就不上钩嘛,我回家了! "有的小鸡已经失去了耐心。

"吵什么? 鱼都被你们吓跑啦! 真烦人。"

"上钩啦！"小胖墩突然喊道，"还是条大鱼呢！"

大伙儿赶紧跑过来，围在小胖墩的身边，眼巴巴地瞅着这个战利品：它既不是一条鲑鱼，也不是一条白斑鱼，而是一只——麻袋。

"这是我的！你们离它远点儿。"

小胖墩得意地慢慢解开绳子……
"啊！一只黑猫！快跑啊！"
一只不吉利的黑猫！！

"我的小猫咪！你怎么会想出这么个玩法呀？套着麻袋游泳多危险哪⋯⋯"

卡梅利多觉得妹妹的胆子实在是太大了。
"别碰他，卡门！听说黑猫会让人倒大霉的。"

"像你这么聪明的男孩，也迷信啊？"

卡梅利多有点难为情,就赶紧给这个可怜虫擦干身子,好叫他暖和一点。

　　"你叫什么名字?"
　　"我妈妈还没来得及给我取……"

　　"那这样吧,我叫你'落汤鸡'怎么样?"
　　"喔,我的小落汤鸡!"

"我出生在'四季风'磨坊里，我所有的兄弟姐妹都有一身带斑纹的漂亮皮毛，只有我……"

"我最喜欢听妈妈在我耳边唱歌了！"

国王是谁？老爷是谁？
英俊王子又是谁？
当然是我的小·宝贝，我的小·宝贝呀，
黑衣黑褂最漂亮……

"可是,幸福的日子太短暂了。一天早上,磨坊主发现了我,他恶狠狠地把我从妈妈的怀里拎出来:'哼,你这个黑糊糊的丑八怪! 我现在就让你去见鬼! '"

"他把我装进一个麻袋,就扔到了河里……"
落汤鸡难过得说不下去了。

"天啦！快看！他们居然把那只
倒霉的猫带回来了！"
"真不像话！"

"黑猫就和数字'13'一样,挨上就别想有好日子过!!"
"该死！很快就会大祸临头啦！"

"最惨的是我,我
对猫毛过敏！哇……"

12

卡梅利多的爸爸妈妈听了小黑猫的不幸遭遇后,对"落汤鸡"很同情,他们决定先收留他。

　　"可怜的小家伙!"卡梅拉很激动,"小落汤鸡呀,我这就去给你倒一碗奶。"

　　"跟我来,落汤鸡!"皮迪克和善地说,"我给你暂时安排一个窝。"

这天晚上，三个小朋友兴奋得觉都睡不着，他们在一起说这说那。

"我们能一直开着灯吗？"
"为什么？难道你怕黑？"

"不！是老鼠……我怕老鼠！"
"我觉得这附近真的有一只老鼠……"

"相信我吧,小落汤鸡,总有一天,你
会成为一只最最勇敢的猫咪!哈哈!总有
一天,你会变成……一个大人物!"

"还有完没完?"
"半夜三更还大吵大闹?!"
"还让不让别人睡觉啦!!"

一大早,鸡舍外面乱成一团,他们纷纷向皮迪克抱怨:
"老天爷呀,我们的鸡蛋被偷了!"
"一定要找到这个小偷!凶手!"

小胖墩气鼓鼓地冲向小黑猫:

"是他!都是他的错!"

16

"流浪汉！没人要的猫！"肥母鸡大妈向小猫恶狠狠地吼道，"你昨晚跑到我的鸡舍干什么去啦？你这个乞丐！"

"滚出去，流浪汉！"
"滚出去，流浪汉！"
"快离开这儿！倒霉的家伙！"

"你们不应该这样对他！这也太迷信了！迷信过头就是神经病，一群神经病！"

"我妹妹说得对！你们实在太过分！太那个……就和她说的一样！"

"咱们走！"卡门拉着落汤鸡，转身离去。

"站住！"小胖墩高声喊道，"千万别从梯子下面走，那样会使我们更倒霉的！"

几天以后，凉风一吹，树叶开始飘落，刷刷地落了一地，光秃秃的树枝看上去显得凄凄惨惨。

小鸡们从没见过这样的情景，吓得直发抖。

救命！救命！大树变成骷髅了！

"准是那只黑猫干的!"

"先是妈妈们的鸡蛋丢了,现在树也死了!这个可恶的东西,把什么都毁了!"

流浪汉! 滚出去!

"大家安静！"鸬鹚佩罗过来做调解，"知道吗，秋天来了，树叶就会落，这是自然现象，不必紧张。"

"不过……当然……还有种说法……"

"每到月圆的夜晚，黑猫就会和巫婆一起骑着扫帚，去参加巫师的晚会。"

"唉，真拿他没办法！"

为了帮助小黑猫克服怕老鼠的毛病，几个星期来，卡门和卡梅利多一直陪着落汤鸡练习捉老鼠……

"加油，别泄气！你会成功的！"

一天,他们刚刚练习完毕……

"嗨,醒醒,落汤鸡! 来了个不速之客! "

"哈哈,我说过你会成功的,落汤鸡! "

23

一转眼，冬天到了。

小黑猫长得很快……越长越大！鸡舍里的窝对他来说有点太小了。

这天早上，打开房门，小鸡们都惊呆了：眼前白茫茫一片，整个农场被一层奇怪的白砂糖盖了起来……

“哇！这一年发生了这么多的事儿！生活多美好，多有趣呀！”

　　小鸡们立即玩起了游戏：滑冰、跳板、翻筋斗、摔跤、滚雪球……

　　“让开！让开！”

　　“向前冲！冲啊！”

　　“雪球，看我的大雪球！”

　　鸡舍又恢复了快乐的气氛。

"快来看哪！吓死人了！河水变得像石头一样硬！我们以后可怎么喝水呀？"小刺头在河边惊呼。

"太可怕了！！"

欢乐的游戏嘎然而止。

"肯定又是那只黑猫惹的祸！"小胖墩喊道，"受够了！我们要把他干掉！"

"谁也不许动他！"卡门和卡梅利多勇敢地保护他们的朋友。

27

"不用再吵了，我是来向你们告别的，谢谢你们收留了我。"

小黑猫决定出去旅行，看看外面多姿多彩的世界。

28

"我的孩子！你是我见过的最出色的捕鼠能手，我们会想念你的！"

四个好朋友伤心得说不出话来，没想到离别会是这么痛苦。

"呜呜呜！"卡梅利多和贝里奥都哭了起来。

"我不要！"卡门大喊道。

"好啦！你们看看，我都没哭嘛。我已经长大了，应该到外面精彩的世界去闯闯！"

29

落汤鸡走啦！

小胖墩和其他小鸡们高兴极了："希望再也别看见你！倒霉的流浪汉！！"

"好呀！倒霉的猫总算走了，噢，大家接着玩吧！"

早上，大家还都在睡梦中，三个拿着
木叉的黑影，偷偷摸摸地朝鸡舍走去。

这是三个凶狠野蛮、无恶不作的强盗——坏蛋田鼠！

"我闻到了肉香,伙计们!"细尾巴指着鸡舍说,
"在这个'食品柜'里,有我们爱吃的鸡蛋!快走!"

不许动！打劫！

  皮迪克从睡梦中惊醒："抢劫！"还没等他喊出来，细尾巴的木叉，已经叉住了他的喉咙。

另一支木叉，叉住了卡梅利多和卡门的小脑袋。

"不许叫，小家伙！谁要再出一声，我就宰了他！"

鸡妈妈们用发抖的翅膀护住自己的孩子。
"嘿嘿，你们下的蛋还不错嘛！"

突然，鸡舍的门猛地被撞开了——

"落汤鸡!"卡门和卡梅利多大声叫了起来。

三个野蛮的家伙举起木叉,向
小黑猫疯狂地扑了过去。

　　"哇呀呀！"落汤鸡大喊一声，扑向第一个敌人，"找死的家伙，让你尝尝我的厉害！"

　　第一个倒下了，他夺过木叉，顺便戴上帽子，转身叉向另一个恶棍。

　　他的动作干净利索："哈！我就是这样对付耗子的，还满意吧？"

　　狡猾的田鼠细尾巴,眼看不是这只黑
猫的对手,便背起鸡蛋、扔下同伙逃跑了,
临走时还顺手抓了一只小公鸡当人质。

大家围过来，鼓掌欢迎已经高出他们
两个头的救命恩人——小黑猫。

"我们的英雄！"卡门欣喜地喊道。

"救命，救命呀！快去救小胖墩吧，
他被抓走了。呜呜！"

40

落汤鸡一听，毫不迟疑地冲了出去。

"佩罗，借你的羽毛用一下！"

哎哟！

卡门、卡梅利多和贝里奥，沿着雪地上落汤鸡留下的脚印，跟踪追了出去。

他们很担心小胖墩会被田鼠吃掉。

在快要进入森林的时候……

小胖墩迎面跑来："吓死我啦！落……落汤鸡救了我！他把那个家伙痛打了一顿！快、快过去看呀！"

"哈哈！看来细尾巴再也不能作恶了，落汤鸡真是太棒了！"

"这个坏家伙还说我很胖，可以做鸡肉三明治呢。"想起刚才的险境，小胖墩就浑身发抖。

"咦，我们的小黑猫在哪儿？"卡门有些担心。

"哈，落汤鸡！"

"呵呵呵！瞧我这身打扮怎么样？
朋友们，我还有事儿呢，**再见！**"

"落汤鸡,对不起,我不应该瞧不起你,还叫你流浪汉!"小胖墩后悔地在后面喊,"从今以后,我只叫你'穿靴子的猫'!"

时间过得好快,阳光明媚的夏天又到了……
"看呀!有一辆马车驶过来了!"

"穿靴子的猫!!"

卡门兴冲冲地扑向小黑猫，一把抱住他：
"哈哈！你有了这么漂亮的马车！"

"怎么不早点告诉我们你要来？你变成大人物啦！"

"我亲爱的朋友们！给你们一个惊喜：请允许我为你们介绍……"